Dioger

Wilhelm Busch

Die fromme Helene

Herausgegeben von
Friedrich Bohne

Diogenes

Diese Ausgabe erscheint
in Zusammenarbeit mit der
Wilhelm Busch Gesellschaft,
Hannover

100/74/E/1
ISBN 3 257 20109 5

Inhalt

Die fromme Helene

Erstes Kapitel

Wie der Wind in Trauerweiden
Tönt des frommen Sängers Lied,
Wenn er auf die Lasterfreuden
In den großen Städten sieht.

Ach, die sittenlose Presse!
Tut sie nicht in früher Stund
All die sündlichen Exzesse
Schon den Bürgersleuten kund?! –

Offenbach ist im Thalia;
Hier sind Bälle, da Konzerts.
Annchen, Hannchen und Maria
Hüpft vor Freuden schon das Herz. –

Kaum trank man die letzte Tasse,
Putzt man schon den irdschen Leib.
Auf dem Walle, auf der Gasse
Wimmelt man zum Zeitvertreib. –

Wie sie schauen, wie sie grüßen!
Hier die zierlichen Mosjös,
Dort die Damen mit den süßen
Himmlisch hohen Prachtpopös. –

Und der Jud mit krummer Ferse,
Krummer Nas und krummer Hos
Schlängelt sich zur hohen Börse,
Tiefverderbt und seelenlos. –

Schweigen will ich von Lokalen,
Wo der Böse nächtlich praßt,
Wo im Kreis der Liberalen
Man den Heilgen Vater haßt. –

Schweigen will ich von Konzerten,
Wo der Kenner hoch entzückt
Mit dem seelenvoll-verklärten
Opernglase um sich blickt;

Wo mit weichem Wogebusen
Man schön warm beisammen sitzt,
Wo der hehre Chor der Musen,
Wo Apollo selber schwitzt. –

Schweigen will ich vom Theater;
Wie von da, des Abends spät,
Schöne Mutter, alter Vater
Arm in Arm nach Hause geht.

Zwar man zeuget viele Kinder,
Doch man denket nichts dabei.
Und die Kinder werden Sünder,
Wenn's den Eltern einerlei.

»Komm Helenchen!« – sprach der brave
Vormund – »Komm, mein liebes Kind!
Komm aufs Land, wo sanfte Schafe
Und die frommen Lämmer sind.

Da ist Onkel, da ist Tante,
Da ist Tugend und Verstand,
Da sind deine Anverwandte!«

So kam Lenchen auf das Land.

Zweites Kapitel

»Helene!« – sprach der Onkel Nolte –
»Was ich schon immer sagen wollte!
Ich warne dich als Mensch und Christ:

Oh, hüte dich vor allem Bösen!
Es macht Pläsier, wenn man es ist,
Es macht Verdruß, wenn man's gewesen!«

»Ja leider!« – sprach die milde Tante –
»So ging es vielen, die ich kannte!
Drum soll ein Kind die weisen Lehren
Der alten Leute hochverehren!
Die haben alles hinter sich
Und sind gottlob! recht tugendlich!« –

»Nun gute Nacht! Es ist schon späte!
Und, gutes Lenchen, bete bete!«

Helene geht. – Und mit Vergnügen
Sieht sie des Onkels Nachthemd liegen.

Die Nadel her, so schnell es geht!
Und Hals und Ärmel zugenäht!! –

Darauf begibt sie sich zur Ruh
Und deckt sich warm und fröhlich zu. –

Bald kommt der Onkel auch herein
Und scheint bereits recht müd zu sein.

Erst nimmt er seine Schlummerprise,
Denn er ist sehr gewöhnt an diese.

Und nun vertauscht er mit Bedacht
Das Hemd des Tags mit dem der Nacht.

Doch geht's nicht so, wie er wohl möcht,
Denn die Geschichte will nicht recht.

»Potztausend, das ist wunderlich!« –
Der Onkel Nolte ärgert sich.

Er ärgert sich, doch hilft es nicht.
Ja siehste wohl! Da liegt das Licht!

Stets größer wird der Ärger nur.
Es fällt die Dose und die Uhr.

Rack! – stößt er an den Tisch der Nacht,
Was einen großen Lärm gemacht.

Hier kommt die Tante mit dem Licht. –
Der Onkel hat schon Luft gekriegt.

»Oh, sündenvolle Kreatur!!
Dich mein ich dort! – Ja, schnarche nur!«

Helene denkt: Dies will ich nun
Auch ganz gewiß nicht wieder tun!

Drittes Kapitel

Helenchen wächst und wird gescheit

Und trägt bereits ein langes Kleid. –
»Na, Lene! Hast du's schon vernommen?
Der Vetter Franz ist angekommen.«
So sprach die Tante früh um achte,
Indem sie grade Kaffee machte.
»Und, hörst du, sei fein hübsch manierlich
Und zeige dich nicht ungebührlich,
Und sitz bei Tische nicht so krumm
Und gaffe nicht so viel herum! –
Und ganz besonders muß ich bitten:
Das Grüne – was so ausgeschnitten –
Du ziehst mir nicht das Grüne an,
Weil ich's nun mal nicht leiden kann!«

»Ei!« – denkt Helene – »Schläft er noch?«
Und schaut auch schon durchs Schlüsselloch.

Der Franz, ermüdet von der Reise,
Liegt tief versteckt im Bettgehäuse.

»Ah, ja ja jam!« – so gähnt er eben –
»Es wird wohl Zeit, sich zu erheben

Und sich allmählich zu bequemen,
Die Morgenwäsche vorzunehmen.«

Zum ersten: ist es mal so schicklich.

Zum zweiten: ist es sehr erquicklich.

Zum dritten: ist man sehr bestaubt

Und viertens: soll man's überhaupt;

Denn fünftens: ziert es das Gesicht

Und schließlich: schaden tut's mal nicht!

Wie fröhlich ist der Wandersmann,
Zieht er das reine Hemd sich an!

Und neugestärkt und friedlich-heiter
Bekleidet er sich emsig weiter.

Und erntet endlich stillerfreut

Die Früchte seiner Reinlichkeit.

Jetzt steckt der Franz die Pfeife an.
Helene eilt, so schnell sie kann.

Plemm!! – stößt sie an die alte Brause,
Die oben steht im Treppenhause.

Sie kommt auf Hannchen hergerollt,
Die Franzens Stiefel holen wollt.

Die Lene rutscht, es rutscht die Hanne;
Die Tante trägt die Kaffeekanne.

Da geht es klirr! und klipp! und klapp!!
Und auch der Onkel kriegt was ab.

Viertes Kapitel

Der Franz, ein Schüler hochgelehrt,
Macht sich gar bald beliebt und wert.

So hat er einstens in der Nacht
Beifolgendes Gedicht gemacht:

> Als ich so von ungefähr
> Durch den Wald spazierte,
> Kam ein bunter Vogel, der
> Pfiff und quinquilierte.
>
> Was der bunte Vogel pfiff,
> Fühle und begreif ich:
> Liebe ist der Inbegriff,
> Auf das andre pfeif ich.

Er schenkt's Helenen, die darob
Gar hocherfreut und voller Lob.

Und Franz war wirklich angenehm,
Teils dieserhalb, teils außerdem.

Wenn in der Küche oder Kammer
Ein Nagel fehlt – Franz holt den Hammer!

Wenn man den Kellerraum betritt,
Wo's öd und dunkel – Franz geht mit!

Wenn man nach dem Gemüse sah
In Feld und Garten – Franz ist da! –

Oft ist z. B. an den Stangen
Die Bohne schwierig zu erlangen.

Franz aber faßt die Leiter an,
Daß Lenchen ja nicht fallen kann.

Und ist sie dann da oben fertig –

Franz ist zur Hülfe gegenwärtig.

Kurzum! Es sei nun, was es sei –
Der Vetter Franz ist gern dabei.

Indessen ganz insonderheit
Ist er voll Scherz und Lustbarkeit.

Schau schau! Da schlupft und hupft im Grün
Ein Frosch herum. – Gleich hat er ihn!

Und setzt ihn heimlich nackt und bloß
In Nolten seine Tobaksdos.

Wie nun der sanfte Onkel Nolte
Sich eine Prise schöpfen wollte –

Hucks da! Mit einem Satze saß
Der Frosch an Nolten seiner Nas.

Platsch! springt er in die Tasse gar,
Worin noch schöner Kaffee war.

Schlupp! sitzt er in der Butterbemme
Ein kleines Weilchen in der Klemme.

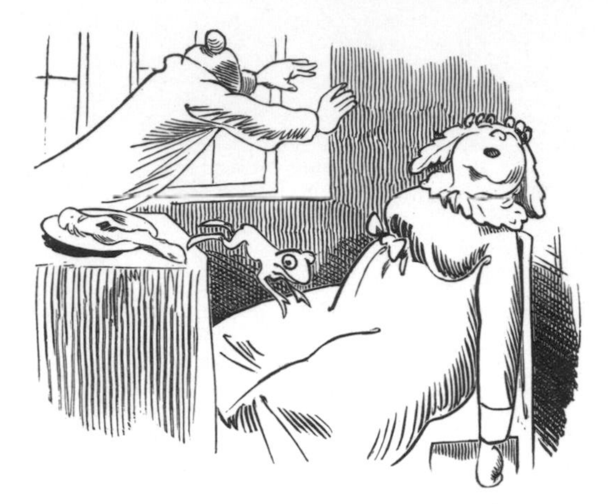

Putsch!! – Ach, der Todesschreck ist groß!
Er hupft in Tante ihren Schoß.

Der Onkel ruft und zieht die Schelle:
»He, Hannchen, Hannchen, komme schnelle!« –

Und Hannchen ohne Furcht und Bangen
Entfernt das Scheusal mit der Zangen.

Nun kehrt die Tante auch zum Glück
Ins selbstbewußte Sein zurück.

Wie hat Helene da gelacht,
Als Vetter Franz den Scherz gemacht!

Eins aber war von ihm nicht schön:
Man sah ihn oft bei Hannchen stehn!
Doch jeder Jüngling hat wohl mal
'n Hang fürs Küchenpersonal,
Und sündhaft ist der Mensch im ganzen!
Wie betet Lenchen da für Franzen!!

Nur einer war, der heimlich grollte:
Das ist der ahnungsvolle Nolte.
Natürlich tut er dieses bloß
In Anbetracht der Tobaksdos.
Er war auch wirklich voller Freud,
Als nun vorbei die Ferienzeit
Und Franz mit Schrecken wiederum
Zurück muß aufs Gymnasium.

Fünftes Kapitel

»Und wenn er sich auch ärgern sollte!
Was schert mich dieser Onkel Nolte!«

So denkt Helene leider Gotts!
Und schreibt, dem Onkel grad zum Trotz:

»Geliebter Franz!
Du weißt es ja, Dein bin ich ganz!

Wie reizend schön war doch die Zeit,
Wie himmlisch war das Herz erfreut,

Als in den Schnabelbohnen drin
Der Jemand eine Jemandin,

Ich darf wohl sagen: herzlich küßte. –
Ach Gott, wenn das die Tante wüßte!

Und ach! wie ist es hierzuland
Doch jetzt so schrecklich anigant!

Der Onkel ist gottlob! recht dumm;

Die Tante nöckert so herum,
Und beide sind so furchtbar fromm!
Wenn's irgend möglich, Franz, so komm
Und trockne meiner Sehnsucht Träne!
10 000 Küsse von

Helene.«

Jetzt Siegellack! – Doch weh! Alsbald

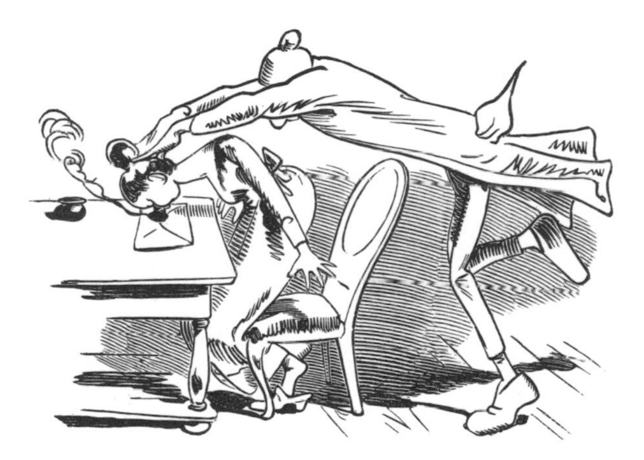

Ruft Onkel Nolte donnernd: »Halt!!!«

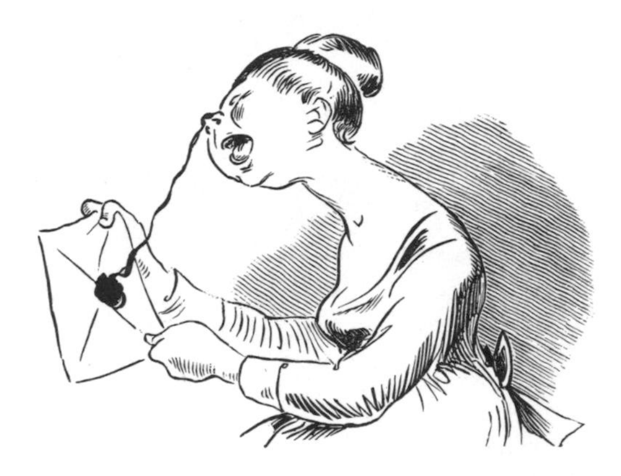

Und an Helenens Nase stracks
Klebt das erhitzte Siegelwachs.

Sechstes Kapitel

In der Kammer, still und donkel,
Schläft die Tante bei dem Onkel.

Mit der Angelschnur versehen,
Naht sich Lenchen auf den Zehen.

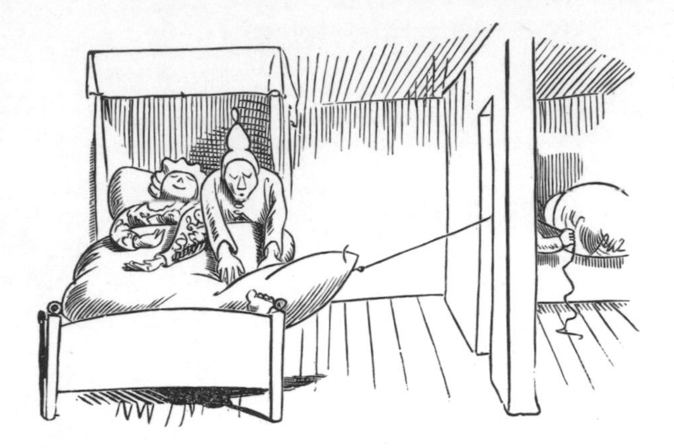

Zupp! – Schon lüftet sich die Decke
Zu des Onkels großem Schrecke.

Zupp! – Jetzt spürt die Tante auch
An dem Fuß den kalten Hauch.

»Nolte!« – ruft sie – »Lasse das,
Denn das ist ein dummer Spaß!«

Und mit Murren und Gebrumm
Kehrt man beiderseits sich um.

Schnupp! – Da liegt man gänzlich bloß
Und die Zornigkeit wird groß;

Und der Schlüsselbund erklirrt,
Bis der Onkel flüchtig wird. –

Autsch! Wie tut der Fuß so weh!
An der Angel sitzt die Zeh.

Lene hört nicht auf zu zupfen.
Onkel Nolte der muß hupfen.

Lene hält die Türe zu.
Oh, du böse Lene du!!

Stille wird es nach und nach,
Friede herrscht im Schlafgemach.

Am Morgen aber ward es klar,
Was nachts im Rat beschlossen war.
Kalt, ernst und dumpf sprach Onkel Nolte:
»Helene, was ich sagen wollte: –«

»Ach!« – rief sie – »Ach! Ich will es nun
Auch ganz gewiß nicht wieder tun!«

»Es ist zu spät! – Drum stantepeh
Pack deine Sachen! – So! – Ade!«

Siebentes Kapitel

Ratsam ist und bleibt es immer
Für ein junges Frauenzimmer,
Einen Mann sich zu erwählen
Und womöglich zu vermählen.
Erstens: will es so der Brauch.
Zweitens: will man's selber auch.
Drittens: man bedarf der Leitung
Und der männlichen Begleitung;
Weil bekanntlich manche Sachen,
Welche große Freude machen,
Mädchen nicht allein verstehn;
Als da ist: ins Wirtshaus gehn. –

Freilich oft, wenn man auch möchte,
Findet sich nicht gleich der Rechte.
Und derweil man so allein,
Sucht man sonst sich zu zerstreun.

Lene hat zu diesem Zwecke
Zwei Kanari in der Hecke,

Welche Niep und Piep genannt.
Zierlich fraßen aus der Hand
Diese goldignetten Mätzchen.

Aber Mienzi hieß das Kätzchen. –

Einstens kam auch auf Besuch
Kater Munzel, frech und klug.

Alsobald so ist man einig. –
Festentschlossen, still und schleunig

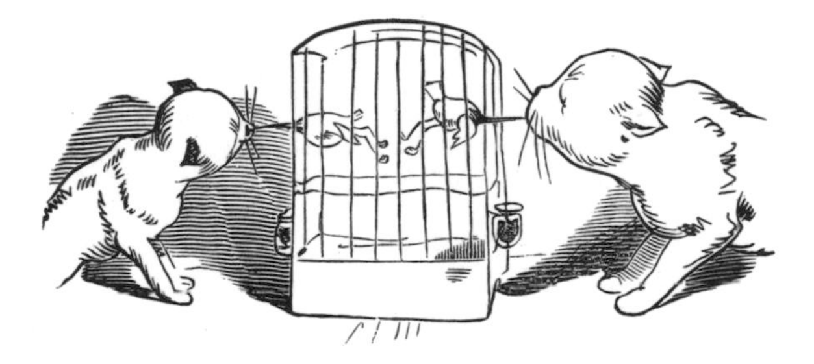

Ziehen sie voll Mörderdrang
Niep und Piep die Hälse lang.

Drauf so schreiten sie ganz heiter
Zu dem Kaffeetische weiter. –
Mienzi mit dem sanften Tätzchen
Nimmt die guten Zuckerplätzchen.

Aber Munzels dicker Kopf
Quält sich in den Sahnetopf.

Grad kommt Lene, welche drüben
Eben einen Brief geschrieben,
Mit dem Licht und Siegellack
Und bemerkt das Lumpenpack.

Mienzi kann noch schnell enteilen,
Aber Munzel muß verweilen;

Denn es sitzt an Munzels Kopf
Festgeschmiegt der Sahnetopf.

Blindlings stürzt er sich zur Erd.
Klacks! – Der Topf ist nichts mehr wert.

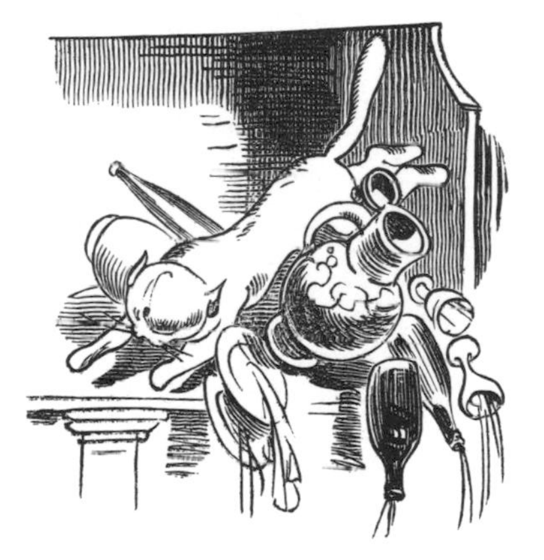

Aufs Büfett geht es jetzunder.
Flaschen, Gläser – alles runter!

Sehr in Ängsten sieht man ihn
Aufwärts sausen am Kamin.

Ach! – Die Venus ist perdü –
Klickeradoms! – von Medici!

Weh! Mit einem Satze ist er
Vom Kamine an dem Lüster;

Und da geht es Klingelingelings!
Unten liegt das teure Dings.

Schnell sucht Munzel zu entrinnen,
Doch er kann nicht mehr von hinnen. –

Wehe, Munzel! – Lene kriegt
Tute, Siegellack und Licht.

Allererst tut man die Tute
An des Schweifs behaarte Rute;

Dann das Lack, nachdem's erhitzt,
Auf die Tute, bis sie sitzt.

Drauf hält man das Licht daran,
Daß die Tute brennen kann.

Jetzt läßt man den Munzel los –
Mau! – Wie ist die Hitze groß!

Achtes Kapitel

Wenn's einer davon haben kann,
So bleibt er gerne dann und wann
Des Morgens, wenn das Wetter kühle,
Noch etwas liegen auf dem Pfühle
Und denkt sich so in seinem Sinn:
Na, dämmre noch 'n bissel hin!
Und denkt so hin und denkt so her,
Wie dies wohl wär, wenn das nicht wär,
Und schließlich wird es ihm zu dumm.
Er wendet sich nach vorne um,
Kreucht von der warmen Lagerstätte
Und geht an seine Toilette.

Die Proppertet ist sehr zu schätzen,
Doch kann sie manches nicht ersetzen.

Der Mensch wird schließlich mangelhaft.

Die Locke wird hinweggerafft. –

Mehr ist hier schon die Kunst zu loben,

Denn Schönheit wird durch Kunst gehoben.
Allein auch dieses, auf die Dauer,
Fällt doch dem Menschen schließlich sauer.

»Es sei!« – sprach Lene heute früh –
»Ich nehme Schmöck und Kompanie!«

G. J. C. Schmöck, schon längst bereit,
Ist dieserhalb gar hoch erfreut.
Und als der Frühling kam ins Land,
Ward Lene Madam Schmöck genannt.

Neuntes Kapitel

’s war Heidelberg, das sich erwählten
Als Freudenort die Neuvermählten.

Wie lieblich wandelt man zu zwei’n
Das Schloß hinauf im Sonnenschein.

»Ach, sieh nur mal, geliebter Schorsch,
Hier diese Trümmer alt und morsch!«

»Ja!« – sprach er – »Aber diese Hitze!
Und fühle nur mal, wie ich schwitze!«

Ruinen machen vielen Spaß. –
Auch sieht man gern das große Faß.

Und – alle Ehrfurcht! – muß ich sagen.

Alsbald, so sitzt man froh im Wagen

Und sieht das Panorama schnelle
Vorüberziehn bis zum Hotelle.

Denn Spargel, Schinken, Koteletts
Sind doch mitunter auch was Netts.

»Pist! Kellner! Stell'n Sie eine kalt!
Und, Kellner! aber möglichst bald!«

Der Kellner hört des Fremden Wort.
Es saust der Frack. Schon eilt er fort.

Wie lieb und luftig perlt die Blase
Der Witwe Klicko in dem Glase. –

Gelobt seist du vieltausendmal!

Helene blättert im Journal.

»Pist! Kellner! Noch einmal so eine!« –
Helenen ihre Uhr ist neune. –

Der Kellner hört des Fremden Wort.
Es saust der Frack. Schon eilt er fort.

Wie lieb und luftig perlt die Blase
Der Witwe Klicko in dem Glase.

»Pist! Kellner! Noch so was von den!« –
Helenen ihre Uhr ist zehn. –

Schon eilt der Kellner emsig fort. –
Helene spricht ein ernstes Wort.

Der Kellner leuchtet auf der Stiegen.
Der fremde Herr ist voll Vergnügen.

Pitsch! Siehe da! Er löscht das Licht.

Plumps! liegt er da und rührt sich nicht.

Zehntes Kapitel

Viele Madams, die ohne Sorgen,
In Sicherheit und wohlgeborgen,
Die denken: Pah! Es hat noch Zeit!
Und bleiben ohne Frömmigkeit. –

Wie lobenswert ist da Helene!
Helene denkt nicht so wie jene. –
Nein nein! Sie wandelt oft und gerne
Zur Kirche hin, obschon sie ferne.

Und Jean, mit demutsvollem Blick,
Drei Schritte hinterwärts zurück,
Das Buch der Lieder in der Hand,
Folgt seiner Herrin unverwandt.

Doch ist Helene nicht allein
Nur auf sich selbst bedacht. – O nein! –
Ein guter Mensch gibt gerne acht,
Ob auch der andre was Böses macht;
Und strebt durch häufige Belehrung
Nach seiner Bessrung und Bekehrung.

»Schang!« – sprach sie einstens – »Deine Taschen
Sind oft so dick! Schang! Tust du naschen?

Ja, siehst du wohl! Ich dacht es gleich!
Oh Schang! Denk an das Himmelreich!«

Dies Wort drang ihm in die Natur,
So daß er schleunigst Bessrung schwur.

Doch nicht durch Worte nur allein
Soll man den andern nützlich sein. –
Helene strickt die guten Jacken,
Die so erquicklich für den Nacken,
Denn draußen wehen rauhe Winde. –
Sie fertigt auch die warme Binde.
Denn diese ist für kalte Mägen
Zur Winterszeit ein wahrer Segen.
Sie pflegt mit herzlichem Pläsier
Sogar den fränkschen Offizier,
Der noch mit mehren dieses Jahr
Im Deutschen Reiche seßhaft war. –
Besonders aber tat ihr leid
Der armen Leute Bedürftigkeit.
Und da der Arzt mit Ernst geraten,
Den Leib in warmem Wein zu baden,

So tut sie's auch.

Oh, wie erfreut
Ist nun die Schar der armen Leut,

Die, sich recht innerlich zu laben,
Doch auch mal etwas Warmes haben.

Elftes Kapitel

Viel Freude macht, wie männiglich bekannt,
Für Mann und Weib der heilige Ehestand;
Und lieblich ist es für den Frommen,
Der die Genehmigung dazu bekommen,
Wenn er sodann nach der üblichen Frist
Glücklicher Vater und Mutter ist. –
Doch manchmal ärgert man sich bloß,
Denn die Ehe bleibt kinderlos. –
Dieses erfuhr nach einiger Zeit
Helene mit großer Traurigkeit. –

Nun wohnte allda ein frommer Mann,
Bei St. Peter dicht nebenan,
Von Fraun und Jungfraun weit und breit
Hochgepriesen ob seiner Gelehrsamkeit. –
(Jetzt war er freilich schon etwas kränklich.)
»O meine Tochter!« – sprach er bedenklich –
»Dieses ist ein schwierig Kapitel;
Da helfen allein die geistlichen Mittel!
Drum, meine Beste, ist dies mein Rat:
Schreite hinauf den steilen Pfad
Und folge der seligen Pilgerspur
Gen Chosemont de bon secours;

Denn dorten, berühmt seit alter Zeit,
Stehet die Wiege der Fruchtbarkeit.
Und wer allda sich hinverfügt,
Und wer allda die Wiege gewiegt,
Der spürete bald nach selbigter Fahrt,
Daß die Geschichte anders ward.
Solches hat noch vor etzlichen Jahren
Leider Gotts! eine fromme Jungfer erfahren,
Welche, indem sie bis dato in diesen
Dingen nicht sattsam unterwiesen,
Aus Unbedacht und kindlichem Vergnügen
Die Wiege hat angefangen zu wiegen.
Und ob sie schon nur ein wenig gewiegt,
Hat sie dennoch ein ganz kleines Kind gekriegt.

Auch kam da ein frecher Pilgersmann,
Der rühret aus Vorwitz die Wiegen an.
Darauf nach etwa etzlichen Wochen,
Nachdem er dieses verübt und verbrochen,
Und – – doch, meine Liebe, genug für heute!
Ich höre, daß es zur Metten läute. –
Addio! Und Trost sei Dir beschieden!
Zeuge hin in Frieden!«

Zwölftes Kapitel

Hoch von gnadenreicher Stelle
Winkt die Schenke und Kapelle. –

Aus dem Tale zu der Höhe,
In dem seligen Gedränge
Andachtsvoller Christenmenge
Fühlt man froh des andern Nähe;
Denn hervor aus Herz und Munde,
Aus der Seele tiefstem Grunde
Haucht sich warm und innig an
Pilgerin und Pilgersmann. –

Hier vor allen, schuhbestaubt,
Warm ums Herze, warm ums Haupt.
Oft erprobt in ernster Kraft,
Schreitet die Erzgebruderschaft. –

Itzo kommt die Jungferngilde,
Auf den Lippen Harmonie,
In dem Busen Engelsmilde,
In der Hand das Paraplü.
Oh wie lieblich tönt der Chor!
Bruder Jochen betet vor. –

Aber dort im Sonnenscheine
Geht Helene traurig-heiter,

Sozusagen, ganz alleine;

Denn ihr einziger Begleiter,
Stillverklärt im Sonnenglanz,
Ist der gute Vetter Franz,
Den seit kurzem die Bekannten
Nur den »heilgen« Franz benannten. –

Traulich wallen sie zu zweit
Als zwei fromme Pilgersleut.

Gott sei Dank, jetzt ist man oben!
Und mit Preisen und mit Loben

Und mit Eifer und Bedacht
Wird das Nötige vollbracht.

Freudig eilt man nun zur Schenke,
Freudig greift man zum Getränke,
Welches schon seit langer Zeit
In des Klosters Einsamkeit
Ernstbesonnen, stillvertraut,
Bruder Jakob öfters braut.

Hierbei schaun sich innig an
Pilgerin und Pilgersmann.

Endlich nach des Tages Schwüle
Naht die sanfte Abendkühle.
In dem goldnen Mondenscheine
Geht Helene froh und heiter,
Sozusagen, ganz alleine;
Denn ihr einziger Begleiter,
Stillverklärt im Mondesglanz,
Ist der heilge Vetter Franz.
Traulich ziehn sie heim zu zweit
Als zwei gute Pilgersleut.

Doch die Erzgebruderschaft
Nebst den Jungfern tugendhaft,
Die sich etwas sehr verspätet,
Kommen jetzt erst angebetet.
Oh wie lieblich tönt der Chor!
Bruder Jochen betet vor.

Schau, da kommt von ungefähr
Eine Droschke noch daher.

Er, der diese Droschke fuhr,
Frech und ruchlos von Natur,
Heimlich denkend: papperlapp!,
Tuet seinen Hut nicht ab. –

Weh! Schon schaun ihn grollend an
Pilgerin und Pilgersmann.

Zwar der Kutscher sucht mit Klappen
Anzuspornen seinen Rappen,

Aber Jochen schiebt die lange
Jungfernbundesfahnenstange
Durch die Hinterräder quer –

Schrupp! – und 's Fuhrwerk geht nicht mehr. –

Bei den Beinen, bei dem Rocke
Zieht man ihn von seinem Bocke.

Jungfer Nanni mit der Krücke
Stößt ihn häufig ins Genicke.
Aber Jungfer Adelheid
Treibt die Sache gar zu weit;

Denn sie sticht in Kampfeshitze
Mit des Schirmes scharfer Spitze,

Und vor Schaden schützt ihn bloß
Seine warme Lederhos. –

Drauf so schaun sich fröhlich an

Pilgerin und Pilgersmann. –

Fern verklingt der Jungfernchor.
Bruder Jochen betet vor. –

Doch der böse Kutscher, dem

Alles dieses nicht genehm,

Meldet eilig die Geschichte
Bei dem hohen Stadtgerichte.
Dieses ladet baldigst vor
Jochen und den Jungfernchor.

Und das Urteil wird gesprochen:
Bruder Jochen kriegt drei Wochen,
Aber Jungf- und Bruderschaften
Sollen für die Kosten haften.

Ach! da schaun sich traurig an
Pilgerin und Pilgersmann.

Dreizehntes Kapitel

Wo kriegten wir die Kinder her,

Wenn Meister Klapperstorch nicht wär?

Er war's, der Schmöcks in letzter Nacht
Ein kleines Zwillingspaar gebracht.

Der Vetter Franz, mit mildem Blick,
Hub an und sprach: »Oh welches Glück!
Welch kleine, freundliche Kollegen!
Das ist fürwahr zwiefacher Segen!

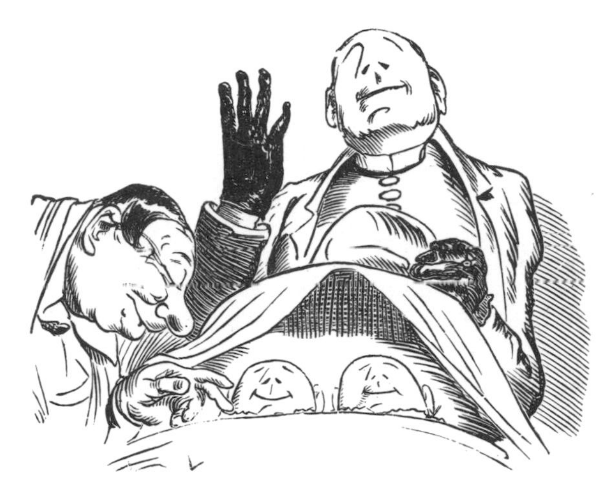

Drum töne zwiefach Preis und Ehr! –
Herr Schmöck, ich gratuliere sehr!«

Bald drauf um zwölf kommt Schmöck herunter,
So recht vergnügt und frisch und munter.

Und emsig setzt er sich zu Tische,
Denn heute gibt's Salat und Fische.

Autsch! – Eine Gräte kommt verquer,
Und Schmöck wird blau und hustet sehr;

Und hustet, bis ihm der Salat
Aus beiden Ohren fliegen tat.

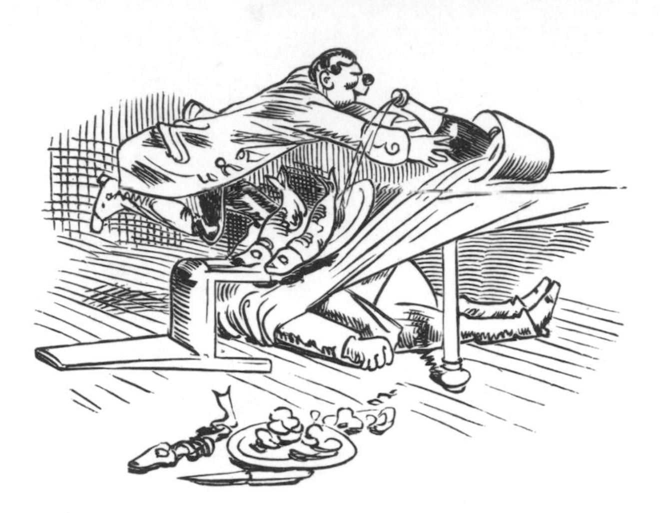

Bums! Da! Er schließt den Lebenslauf.
Der Jean fängt schnell die Flasche auf.

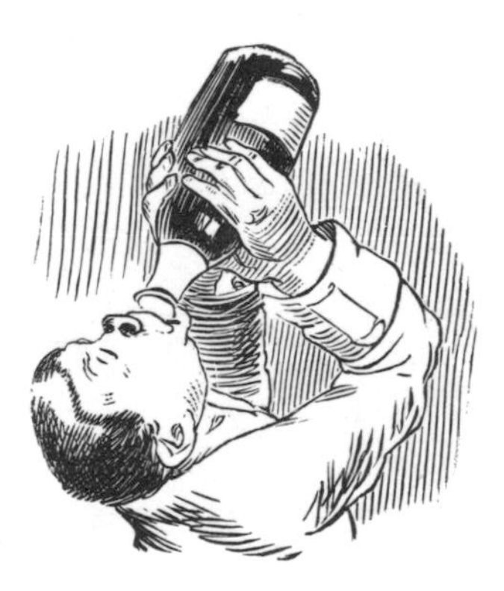

»Oh!« – sprach der Jean – »Es ist ein Graus!
Wie schnell ist doch das Leben aus!«

Vierzehntes Kapitel

»Oh Franz!« – spricht Lene – und sie weint –
»Oh Franz! Du bist mein einzger Freund!«

»Ja!« schwört der Franz mit mildem Hauch –
»Ich war's, ich bin's und bleib es auch!

Nun gute Nacht! Schon tönt es zehn!
Will's Gott! auf baldig Wiedersehn!«

Die Stiegen steigt er sanft hinunter. –
Schau, schau! Die Kathi ist noch munter.

Das freut den Franz. – Er hat nun mal
'n Hang fürs Küchenpersonal.

Der Jean, der heimlich näher schlich,
Bemerkt die Sache zorniglich.

Von großer Eifersucht erfüllt,
Hebt er die Flasche rasch und wild

Und – Kracks! – Es dringt der scharfe Schlag
Bis tief in das Gedankenfach.

's ist aus! – Der Lebensfaden bricht. –
Helene naht. – Es fällt das Licht. –

Fünfzehntes Kapitel

Ach, wie ist der Mensch so sündig! –
Lene, Lene! Gehe in dich! –

Und sie eilet tieferschüttert
Zu dem Schranke schmerzdurchzittert.

Fort! Ihr falschgesinnten Zöpfe,
Schminke und Pomadetöpfe!

Fort! Du Apparat der Lüste,
Hochgewölbtes Herzgerüste!

Fort vor allem mit dem Übel
Dieser Lust- und Sündenstiebel!

Trödelkram der Eitelkeit,
Fort! Und sei der Glut geweiht!!

Oh, wie lieblich sind die Schuhe
Demutsvoller Seelenruhe!! –

Sieh, da geht Helene hin,
Eine schlanke Büßerin!

Sechzehntes Kapitel

Es ist ein Brauch von alters her:
Wer Sorgen hat, hat auch Likör!

»Nein!« – ruft Helene – »Aber nun
Will ich's auch ganz – und ganz – und ganz –
und ganz gewiß nicht wieder tun!«

Sie kniet von ferne fromm und frisch.
Die Flasche stehet auf dem Tisch.

Es läßt sich knien auch ohne Pult. –
Die Flasche wartet mit Geduld.

Man liest nicht gerne weit vom Licht. –
Die Flasche glänzt und rührt sich nicht.

Oft liest man mehr als wie genug.
Die Flasche ist kein Liederbuch.

Gefährlich ist des Freundes Nähe.
O Lene, Lene! Wehe, wehe!

Oh sieh! – Im selgen Nachtgewande
Erscheint die jüngstverstorbne Tante.

Mit geisterhaftem Schmerzgetöne –
»Helene!« – ruft sie – »Oh, Helene!!!«

Umsonst!! – Es fällt die Lampe um,
Gefüllt mit dem Petroleum.

Und hilflos und mit Angstgewimmer
Verkohlt dies fromme Frauenzimmer.

Hier sieht man ihre Trümmer rauchen.
Der Rest ist nicht mehr zu gebrauchen.

Siebzehntes Kapitel

Hu! Draußen welch ein schrecklich Grausen!
Blitz, Donner, Nacht und Sturmesbrausen! –

Schon wartet an des Hauses Schlote
Der Unterwelt geschwänzter Bote.

Zwar Lenens guter Genius
Bekämpft den Geist der Finsternus.

Doch dieser kehrt sich um und packt
Ihn mit der Gabel zwiegezackt.

O weh, o weh! der Gute fällt!
Es siegt der Geist der Unterwelt.

Er faßt die arme Seele schnelle

Und fährt mit ihr zum Schlund der Hölle.

Hinein mit ihr!! – Huhu! Haha!
Der heilge Franz ist auch schon da.

Schluß

Als Onkel Nolte dies vernommen,
War ihm sein Herze sehr beklommen.

Doch als er nun genug geklagt:
»Oh!« – sprach er – »Ich hab's gleich gesagt!«

»Das Gute – dieser Satz steht fest –
Ist stets das Böse, was man läßt!«

»Ei ja! – Da bin ich wirklich froh!
Denn, Gott sei Dank! Ich bin nicht so!!«

Anhang

›Max und Moritz‹ (detebe 60/II) ist Buschs berühmtestes Kinderbuch. ›Die fromme Helene‹, sieben Jahre später entstanden, wurde seine berühmteste Bildergeschichte für Erwachsene.

Wilhelm Busch inv. et fec
Wiedensahl Sept. 1871.

schrieb er unter den Titel der aus 114 Blättern bestehenden Helene-Handschrift. »invenit et fecit« – erfand und führte aus –, so signierten Maler und Zeichner früherer Jahrhunderte, um zu bekunden, daß sie mit ihrer Schöpfung zufrieden waren. Auch Busch hatte bald allen Grund, mit seiner Helene zufrieden zu sein. Sein Freund aus den Jahren gemeinsamer Zugehörigkeit zum Künstlerverein ›Jung-München‹, Otto Bassermann, junger Chef im ererbten Verlag, griff zu, als ihm Wilhelm Busch am 5. Oktober 1871 in Heidelberg ›Die fromme Helene‹ anbot, entwarf noch an diesem Tage einen Verlagsvertrag und schuf damit die Voraussetzungen für eine Zusammenarbeit, die erst mit dem Tode Buschs zu Ende ging. Am 25. Mai 1872 wurde ›Die fromme Helene‹ ausgeliefert. Am Ende dieses Jahres legte Bassermann bereits die vierte Auflage vor. 1893 überschritt das Buch das hundertste Tausend. Zum 15. April 1907, Buschs 75. Geburtstag, veranstaltete der Verlag eine Festausgabe, für die der Autor sein großes Abschiedsgedicht schrieb:

An Helene

So hat sich denn schon sechsunddreißig Male
Das Jahr erneut in diesem Erdentale,
Seit du erschienst in deiner Schändlichkeit.

Viel ist passiert von dazumal bis heut,
Darunter viel, was wir nicht gern erlebten.
Die Bomben krachten und die Berge bebten.
Zum Teil ins Wackeln kam das Weltgerüst.
Indes, so sehr wir uns darob betrübten,
Wir faßten uns, wir aßen, tranken, liebten
Und dachten nach, was schlau und nützlich ist,
Und machten es und brauchten's mit Behagen.

Jüngst träumte mir, im neusten Sausewagen,
Dem unverschämten, dennoch wundersamen,
Der so beliebt, besonders bei den Damen,
Denn alles Neue liebten sie ja stets,
Kämst du mir, altes Lenchen, flink verwegen,
Staub und Gerüche hinter dir, entgegen.
Ich war erstaunt und fragte dich, wie geht's?

Der Herr Verleger, der dein Pflegevater,
Verehrte, seh ich, dir ein neu Kostüm.
Mach einen Knicks. Es war doch nett von ihm.

Demnach, obwohl du längst schon aus dem Schneider,
Spielst du noch immer – manche sagen leider! –

Vor jedermann auf dem Papiertheater
Ganz unverfroren deine losen Streiche.
Du hast dich nicht gebessert, bliebst die Gleiche,
Neckst immer noch den Onkel, schreckst die Tante,
Die beide doch so brave Anverwandte,
Und eben dies macht uns ein Hauptvergnügen,
Wenn Biederleute, die allhier auf Erden
Geruhig leben, recht gehudelt werden,
Daß sie vor Ärger fast die Kränke kriegen.

Zwar, was die Alten sind, die abgeklärten,
Die Speckphilister, die sich gut ernährten,
Sie kennen eine beßre Unterhaltung.
Allabendlich siehst du sie schwitzend wandeln,
Um über die verderbte Stadtverwaltung
Im Volksverein laut dröhnend zu verhandeln.
Dort zeigen frei sie ihre Redegaben,
Sie, die zuhause nichts zu sagen haben.

Doch eines sei erwähnt zu ihren Ehren:
Sie waren treu bemüht sich zu vermehren.

Ein junger Nachwuchs kam, dem jene Sachen
Zu ernsthaft sind; man möchte lieber lachen,
Und kindlich harmlos hascht man nach Genüssen
In Wort und Bild, als gäb es kein Gewissen.
Man denkt sich halt: Es ist ja Phantasie,
Ein Puppenspiel. Wir täten so was nie.

Die Frommen aber, die vorüberradeln,
Die uns vermutlich in die Gosse rennten,
Wenn sie vor Lachen und Entrüstung könnten,
Sie sind mal so, wir wollen sie nicht tadeln,
Ersuchen sie vielmehr sich zu getrösten:
Die Narren sterben, auch die allergrößten.

Sobald nur hundert Jahre erst verflossen,
Wo unter andern, sind dann unsre Possen?
Die Lampe fällt. Was bleibt noch auf der Szene?
Ein Häufchen Asche, wie von dir, Helene.
Drauf kommt die Zeit mit ihrem Reiserbesen
Und fegt es weg, als wär es nie gewesen.

Mir selbst ist so, als müßt ich bald verreisen –
Die Backenzähne schenkt ich schon den Mäusen –
Als müßt ich endlich mal den Ort verändern
Und weiterziehn nach unbekannten Ländern.

Mein Bündel ist geschnürt. Ich geh zur See.
Und somit, Lenchen, sag ich dir ade!

Der Pessimist Busch hat nicht recht behalten. Hundert Jahre sind »verflossen«, und noch immer hält sich die Helene an der Spitze des von Bassermann verlegten Bildergeschichtenwerks unerschütterlich in der Reihe der Titel, die nicht untergehen. Und dies, obwohl Hintergründe und Motive heute kaum noch ganz ohne Kommentar verstanden werden können. Hier in Kürze nur dies:

Die Bildergeschichte ›Der Heilige Antonius von Padua‹, von Busch bereits im Herbst 1864 skizziert, war nach langem Hin und Her im Juni 1870 im Verlag von Moritz Schauenburg, Lahr, erschienen und bald darauf verboten worden. Busch fühlte sich aufgerufen, seinem Verleger hieb- und stichfeste Argumente gegen den Vorwurf der »durch die Presse verübten Herabwürdigung der Religion und Erregung öffentlichen Ärgernisses durch unzüchtige Schriften« zu liefern. Er schrieb ihm am 12. August 1870 aus Wiedensahl: *In protestantischen Anschauungen aufgewachsen, mußte es mir sonderbar erscheinen, daß es im Ernste einen wirklichen Heiligen, einen Menschen ohne Sünde geben sollte ... Daß unser kleines Buch ein so unliebsames Aufsehen macht, hat wohl besonders seinen Grund darin, daß es zufällig in einer Zeit erschien, wo von Rom aus ein großer Teil der Menschheit in seinem besten Wissen und Denken in derbster Weise angegriffen und verflucht wird.*

Im März 1871 sprach das Offenburger Kreisgericht den Verleger Schauenburg frei und hob das Verbot des Heiligen Antonius auf. Damit war für Busch die Ausgangsposition zu einem Werk gewonnen, das die im Legendären angesiedelte Antonius-Problematik auf die unmittelbare Gegenwart anwandte: den 1871 noch immer nicht ausgestandenen Kulturkampf, die Auseinandersetzung des von Bismarck geführten jungen Deutschen Reiches mit den Machtansprüchen der Römischen Kirche. Busch stand auf der Seite Bismarcks. –

Vieles in dem mit boshafter Ironie vorgetragenen, zugleich ernüchternden wie erheiternden *Lebenslauf in abstracto* geht unverkennbar auf Eindrücke zurück, die Busch in seinen oft ausgedehnten Frankfurter Aufenthalten zwischen 1868 und 1871 gewonnen hatte. Hierüber mehr in den Anmerkungen. – Die in Frankfurt begonnene einigermaßen systematische Beschäftigung mit der pessimistischen Philosophie Arthur Schopenhauers tat ein übriges. Sie stellte die Skepsis eines Geistes, der seine *Reiselust nach der Grenze des Unfaßbaren* nur schwer unterdrücken konnte, auf feste und immer sprungbereite Füße. So wurde die Geschichte des Mädchens Helene der realistisch vorgetragene und bis zum Ende – auch künstlerisch – ausgekostete Bericht einer fortschreitenden Entzauberung. –

Wer genau hinsieht, müßte bemerken, daß die Personen in der Frommen Helene meist Linkshänder sind. In der Handschrift sind sie es nicht, denn da haben wir es ja noch nicht mit druckbedingten Spiegelbildern zu tun. Es war wohl bequemer für Busch, die Orientierungslinien für die endgültige Fassung durch die Vorderseite der Vorlage hindurch auf die Hirnholzfläche des künftigen Druckstocks zu übertragen. Nur wo es sich nicht umgehen ließ, im fünften Kapitel – weil Helene eben doch mit der rechten Hand schreiben mußte – und im neunten Kapitel – weil ja sonst kein Mensch Heidelberg, den *Freudenort der Neuvermählten,* wiedererkannte –, nahm er die Plackerei des spiegelbildlichen Vorzeichnens auf sich.

Der Titel der ersten Auflage erwähnt ausdrücklich die Holzschnitte von Ettling. Dies war eine in späteren Auflagen nicht wiederholte Verbeugung vor dem Mann, der sich unter anderem durch seine Tätigkeit für den

übrigens mit Busch gleichaltrigen Gustave Doré einen Namen gemacht hatte. –
Der Text der vorliegenden Ausgabe stützt sich auf die Handschrift vom September 1871 und auf die erste und dritte Auflage von 1872. Die Bilder wurden nach Andrucken von den Originalhölzern zur ›Frommen Helene‹ reproduziert. *F. B.*

Literatur

Otto Nöldeke: Vorbemerkung zur ›Frommen Helene‹, in: Wilhelm Busch, Sämtliche Werke, München 1943, III, 349ff.

Friedrich Bohne: Nachwort zum Faksimiledruck der Helene-Handschrift, Hannover 1972

Friedrich Bohne/Ingrid Haberland: ... und besser als irgend ein anderes Opusculum von mir. Hundert Jahre Fromme Helene, in: Wilhelm-Busch-Jahrbuch 1972, 7ff.

Anmerkungen

Zu Kapitel 1: Hier verwertet Busch vor allem Reminiszenzen aus seinen Frankfurter Jahren nach 1868.

9 *Offenbach ist im Thalia:* Das 1869 errichtete Thalia-Theater in Frankfurt am Main führte in der Saison 1869/70 vorwiegend Operetten von Jacques Offenbach auf, u. a. *Die schöne Helena.*
Auf dem Walle: Anregungen dazu lieferte die Frankfurter Promenade »auf den Wällen«.
Prachtpopös: der modische »cul de Paris«; vgl. 68 *Denn Schönheit wird durch Kunst gehoben.*

10 *Und der Jud mit krummer Ferse:* Busch gibt die im deutschen Bürgertum in dieser Zeit verbreitete Meinung über den an der *hohen Börse* tätigen Juden ironisch wieder und verwertet dabei wohl auch vorwiegend Frankfurter Eindrücke. Busch war kein Antisemit; vgl. Wilhelm-Busch-Jahrbuch 1959/60, 38ff., 1963/64, 63f., 1964/65, 44ff.
Wo mit weichem Wogebusen usw.: In der Handschrift von 1871 und in den ersten beiden Auflagen folgen die Verse:

Man sich warm zusammensetzt,
Wo der hehre Chor der Musen,
Wo der Weise selber schwätzt.

13 *Die Nadel her ...:* Im Bild darüber einige der vielen Linkshändigkeiten; siehe auch 15, 50, 82.

32 *Auf das andre pfeif ich:* In der Handschrift phonetisch empfunden *pfeiff' ich.*

43 *anigant:* ennuyant (frz.) – langweilig

44 *nöckert:* niederdeutsch für meckert; vgl. *Der Nöckergreis* (detebe 60/I, 124ff.)

53 *stantepeh:* stante pede (lat.) – stehenden Fußes, sofort

61 *Ach! – Die Venus ist perdu ...:* Die Ähnlichkeit des Kopfes der zer-

brochenen Venus mit dem der jungen Helene, etwa auf S. 29, ist unverkennbar.

67 *Die Proppertet:* Propretät (Sauberkeit)
Der Zweizeiler 67 oben steht in der Handschrift auf dem ersten Blatt des 8. Kapitels unter dem nicht in die Buchausgaben aufgenommenen, hier wiedergegebenen Bild.

75 und 77: ... *perlt die Blase der Witwe Klicko:* der Champagner Veuve Clicquot

83 *Sie pflegt ... den fränk'schen Offizier:* gefangene französische Offiziere aus dem Krieg von 1870/71

84 Das Bild erinnert an die (zerstörte) Villa der Bankiersfamilie Keßler in Frankfurt am Main, Bockenheimer Landstraße 62, in der Busch seit 1868 oft zu Besuch war.

90 Zwischen dem dritten und vierten Vers enthält die Handschrift ein in die Buchausgaben nicht aufgenommenes Bild: Franz und Helene *still-verklärt im Mondesglanz.*

121 *»Das Gute ... ist stets das Böse, was man läßt«* hat Busch mit roter Tinte geschrieben.